中华人民共和国电力行业标准

电力工程场地地震安全性评价规程

Code for seismic safety evaluation of power engineering

DL/T 5494—2014

主编部门：电力规划设计总院
批准部门：国 家 能 源 局
施行日期：2015年3月1日

中国计划出版社

2014 北 京

国家能源局

公告

2014年　第11号

依据《国家能源局关于印发〈能源领域行业标准化管理办法(试行)〉及实施细则的通知》(国能局科技〔2009〕52号)有关规定，经审查，国家能源局批准《压水堆核电厂用碳钢和低合金钢第17部分:主蒸汽系统用推制弯头》等330项行业标准，其中能源标准(NB)71项、电力标准(DL)122项和石油天然气标准(SY)137项，现予以发布。

附件:行业标准目录

国家能源局

2014年10月15日

附件:

行业标准目录

序号	标准编号	标准名称	代替标准	采标号	批准日期	实施日期
……						
178	DL/T 5494—2014	电力工程场地地震安全性评价规程			2014-10-15	2015-03-01
……						

前　言

根据《国家能源局关于下达2009年第一批能源领域行业标准制(修)订计划的通知》(国能科技〔2009〕163号)的要求,标准编制组总结了电力工程场地地震安全性评价工作的经验,调研了场地地震安全性评价工作的新进展,吸取了行业内外相关科研应用成果,并在广泛征求行业内设计单位意见的基础上制定本标准。

本标准共分13章,主要技术内容包括:总则、术语和符号、基本规定、区域地震活动性和地震构造评价、近场区地震活动性和地震构造评价、地震动参数衰减关系确定、地震危险性概率分析、场地地震工程地质条件勘测、场地地震动参数确定、场地地震地质灾害勘查和评价、区域性地震区划和地震小区划、地震动峰值加速度复核和成果报告要求等。

本标准由国家能源局负责管理,由电力规划设计总院提出,由能源行业发电设计标准化技术委员会负责日常管理,由中国电力工程顾问集团华东电力设计院有限公司负责具体技术内容的解释。执行过程中如有意见或建议,请寄送电力规划设计总院(地址:北京市西城区安德路65号;邮政编码:100120)。

本标准主编单位、参编单位、主要起草人和主要审查人:

主编单位:中国电力工程顾问集团华东电力设计院有限公司

参编单位:中国电力工程顾问集团西北电力设计院有限公司
中国电力工程顾问集团华北电力设计院工程有限公司
湖北省电力勘测设计院
中国地震局地球物理研究所
中国地震局地质研究所

主要起草人：陈昌斌　王振华　尚义敏　周本刚　孟庆辉
高倚山　陶寿福　潘　华

主要审查人：王中平　刘厚健　齐　迪　余小奎　叶静风
李　中　李彦利　王松江　任亚群　邵长云
马海毅　王基文　宿奎聚　沈建文　刘建达

目　　次

Contents

1 总 则

1.0.1 为了在电力工程场地地震安全性评价工作中贯彻执行国家有关的技术经济政策，做到安全适用、技术先进、经济合理、确保质量，制定本标准。

1.0.2 本标准适用于除核电工程和水电工程之外的电力工程。

1.0.3 下列新建、扩建、改建的电力工程应进行地震安全性评价，并应按照地震安全性评价结果确定抗震设防要求，进行抗震设防：

1 省、自治区、直辖市及以上电力调度中心；

2 单机容量300MW及以上火力发电厂；

3 330kV及以上的变电站；

4 输电线路大跨越工程；

5 省、自治区、直辖市认为对本行政区域有重大价值或有重大影响的其他电力工程。

1.0.4 电力工程场地地震安全性评价除应符合本标准外，尚应符合国家现行有关标准的规定。

2 术语和符号

2.1 术 语

2.1.1 地震活动性 seismicity

一定时间、空间范围内发生的地震在强度、频度、时间和空间等方面的分布规律和特征。

2.1.2 地震构造 seismic structure

与地震孕育和发生有关的地质构造。

2.1.3 断层活动段 active fault segment

在一个活动断层上，活动历史、几何形态、性质、地震活动和运动特性等具有一致性的地段。

2.1.4 活动构造 active structure

晚第四纪以来有活动的构造，包括活动断层、活动褶皱、活动盆地、活动隆起等。

2.1.5 古地震 paleo-earthquake

没有文字记载、采用地质学方法发现的地震。

2.1.6 地震区 seismic region

地震活动性和地震构造环境均类似的地区。

2.1.7 地震带 seismic belt

地震活动性与地震构造条件密切相关的地带。

2.1.8 地震构造区 seismic tectonic zone

具有同样地质构造和地震活动性的地理区域。

2.1.9 本底地震 background earthquake

一定地区内没有明显构造标志的最大地震。

2.1.10 构造类比 structure analog

一种地震活动性分析方法，该方法认为具有同样构造标志的地区，有发生同样强度地震的可能。

2.1.11 全新活动断裂　holocene active fault

在全新地质时期(1万年)内有过活动或近期正在活动，同时推测将来可能继续活动的断裂。

2.1.12 发震构造　seismogenic structure

曾发生和可能发生破坏性地震的地质构造。

2.1.13 潜在震源区　potential seismic source zone

未来可能发生破坏性地震的地区。

2.1.14 震级档　magnitude interval

地震危险性概率分析中的震级分档间隔。

2.1.15 震级下限　lower limit magnitude

地震危险性概率分析中影响工程场地地震危险性的最小震级，一般取$M4.0$级。

2.1.16 震级上限　upper limit magnitude

地震危险性概率分析中在地震带或潜在震源区内可能发生的最大地震震级极限值。

2.1.17 地震动参数衰减关系　attenuation relationship of ground motion parameters

表征地震动参数与震级、震源特性、传播特性、场地条件等统计关系的经验公式。

2.1.18 超越概率　probability of exceedance

在一定时期内，工程场地可能遭遇大于或等于给定的地震动参数值的概率。

2.1.19 地震动参数　ground motion parameters

表征地震引起地面运动的物理参数，包括峰值、反应谱和持续时间等。

2.1.20 场地相关反应谱　site-specific response spectrum

考虑地震环境及场地条件影响得到的地震反应谱。

2.1.21 地震动反应谱特征周期　ground motion characteristic period of response spectrum

规准化的反应谱曲线开始下降点所对应的周期值。

2.1.22 地震地质灾害 earthquake induced geological disaster

在地震作用下，地质体变形或破坏所引起的灾害。

2.2 符 号

a——峰值加速度；

M——地震震级；

R——震中距；

$R_o, R_o(M)$——近场距离饱和因子；

R_a, R_b——分别为长轴、短轴两个方向的震中距；

R_{a0}, R_{b0}——分别为长轴、短轴两个方向烈度衰减的近场饱和因子；

M_{uz}——地震带震级上限；

b——震级-频度关系中的斜率；

M_0——地震带震级下限，一般取 $M4.0$ 级；

v_0——地震带的地震年平均发生率；

M_u——地震构造区、潜在震源区震级上限；

$f_{i,mj}$——第 i 地震构造区、潜在震源区，第 j 震级档地震空间分布函数；

$f(\theta)$——潜在震源区的方向性概率分布函数；

θ——可能的主破裂方向。

3 基本规定

3.0.1 电力工程场地地震安全性评价工作应在电力工程的可行性研究阶段完成。

3.0.2 电力工程场地地震安全性评价工作应考虑电力工程类型、规模、地震地质条件、资料研究程度等因素，按现行国家标准《工程场地地震安全性评价》GB 17741 的规定划分评价级别。

3.0.3 电力工程中抗震设防为重点设防类的建（构）筑物应提供50 年超越概率分别为 63%、10%、2%水平的场地地震动参数；抗震设防为特殊设防类的建（构）筑物尚应根据设计要求提供高于上述超越概率水平的地震动参数。

4 区域地震活动性和地震构造评价

4.1 一般规定

4.1.1 区域工作应在对区域范围内资料搜集和整理的基础上，分析区域地震活动特征和未来地震活动趋势，评价区域范围内地震发生的条件，判识区域内对场地地震危险性有影响的发震构造，综合评价区域范围内地震构造环境和地震活动水平。

4.1.2 区域地震活动性和地震构造评价应主要以搜集、分析现有资料的方式完成。

4.2 区域范围和图件比例尺

4.2.1 区域范围的确定应符合下列规定：

1 应取对工程场地地震安全性评价有影响的区域范围，不小于工程场地外延 150km；

2 当 150km 范围不足以涵盖对工程场地地震安全性评价结果有影响的远场历史大震或存在高震级的潜在发震构造时，应扩大区域范围；

3 在弱地震活动区，当工程场地外延 150km 的外围区域地震活动水平较高或存在强震的发震构造时，宜适当扩大区域范围；

4 当区域范围取工程场地外延大于 150km 时，区域范围根据具体情况可以不对称选取。

4.2.2 图件比例尺的确定应符合下列规定：

1 区域地震构造图比例尺应采用 1∶1000000，编图所依据的基础资料和地理底图比例尺不小于 1∶1000000；

2 其他区域性成果图件，如区域新构造图、区域地震震中分布图等比例尺不应小于 1∶2500000。

4.2.3 所有图件均应标明工程场地位置。

4.3 区域地震活动性

4.3.1 地震资料搜集与目录编制应符合下列要求：

1 应根据地震部门最新正式公布的地震目录和地震报告，搜集区域范围内相关的历史地震资料；

2 历史地震资料应包括区域内自有地震记载以来的 M 大于或等于 $4\frac{3}{4}$ 级的破坏性地震事件；

3 区域性地震台网地震资料应包括区域内自有区域性地震台网观测以来可确定地震参数的全部地震事件；

4 应编制区域自有地震记载以来 M 大于或等于 4.7 级的破坏性地震目录，包括发震时间、地点、震级、震源深度及定位精度等。

4.3.2 区域震中分布图的编制应符合下列规定：

1 应分别编制区域破坏性地震震中分布图、区域性地震台网记录的地震震中分布图，图件编制应符合下列要求：

1）破坏性地震震中分布图应以震级分档形式标示区域范围内所有 M 大于或等于 4.7 级的地震事件；

2）对工程场地评价有重要意义的地震，应在破坏性地震震中分布图中震中符号旁标明该地震的发震时间和震级；

3）区域性地震台网记录的地震震中分布图应以震级分档形式标示区域范围内有地震台网观测以来 M 小于 4.7 级的地震事件。

2 应注明资料起止年代。

4.3.3 区域地震活动时空特征的分析应包括下列内容：

1 对不同时段各级地震资料的可靠性与相对完整性进行分析，应符合下列规定：

1）对历史破坏性地震目录和区域性地震台网地震目录进行可靠性和完整性分析；

2)在合适的空间范围内，选择可信的时间域和震级域，进行地震活动性分析研究。

2 地震空间分布特征。

3 震源深度分布特征。

4 地震活动时间分布特征。

5 未来50年或100年地震活动水平。

4.3.4 区域震源机制解的确定应符合下列规定：

1 应充分搜集、补充区域震源机制解资料。在缺乏震源机制解资料的地区，宜根据地震记录反演震源机制解，也可以利用小震综合断层面解资料作为补充，以反映区域特定范围平均构造应力场状态。

2 根据震源机制解资料编制震源机制解分布图和最大、最小主应力方位分布图，应进行震源机制解 P、B、T 轴分析，统计最大主应力方位分布，以直方图或玫瑰图表示，给出区域水平最大主应力的优势方位。

4.3.5 对工程场地有影响的历史地震烈度资料的搜集、分析应符合下列规定：

1 搜集历史地震烈度资料时，除搜集区域范围内的破坏性地震外，尚应搜集区域外可能对工程场地产生Ⅴ度以上烈度影响的地震资料；

2 历史地震烈度对场地的实际影响烈度的确定可按下列要求进行：

1)对于有等震线资料的地震，可直接查明历史地震对场地的实际影响烈度；

2)对于没有等震线资料的地震，可通过本区的地震烈度衰减关系估算场地影响烈度值。

4.4 区域地震构造

4.4.1 搜集区域地质构造和地球物理场等资料，分析区域内地震发生的新构造和地球物理场背景，应符合下列规定：

1 应搜集地质构造背景及其构造发育简史、新构造和活动构造等资料，分析区域新构造主要表现形式及其特点、新构造分区及新构造演化特征；

2 应分析新构造运动的类型、活动特征、活动幅度及其与地震活动的关系；

3 应分析地震活动的地球物理场背景。

4.4.2 对工程场地地震安全性评价结果可能产生较大影响的断层，资料不充分时应补充下列工作：

1 利用较大比例尺卫星影像或航片的解译成果，补充必要的现场调查，调查断层不同地段地质、地貌上的活动特征，查明断层最新活动时代、性质和运动特征；

2 进行断层活动性分段；

3 分析重点地段古地震的强度及活动期次。

4.4.3 应根据实地调查和已有资料进行分析，编制区域地震构造图。区域地震构造图应包括下列内容：

1 标示第四纪以来活动的主要断层及其活动时代，区别全新世活动断层、晚更新世活动断层与早、中更新世断层。基岩断层和隐伏断层采用不同的图例标示。

2 标示第四纪以来活动褶皱的展布及其影响的最新地层。

3 标示第四纪以来活动盆地的范围、最新堆积物时代、活动构造展布，勾画出第四系等厚线。

4 标示区域现代构造应力场方向。

5 标示破坏性地震震中位置。

4.5 综合评价

4.5.1 区域地震活动特征评价应包括下列内容：

1 地震资料完整性、可靠性评价；

2 地震活动空间分布特征评价；

3 地震活动时间分布特征评价；

4 区域现代应力场特征评价；

5 破坏性地震影响评价。

4.5.2 应评价区域地震构造环境，判别区域发震构造。评价、分析应包括下列内容：

1 简述工程场地在区域大地构造上的位置，评价其所在的大地构造单元的属性；

2 简述区域新构造运动特征，评价场地所在新构造分区单元的活动特征及其与地震活动的关系；

3 简述区域地震构造环境特征，分析区域范围不同震级档的地震构造标志；

4 判别区域发震构造，简述各主要发震构造特征。

5 近场区地震活动性和地震构造评价

5.1 一 般 规 定

5.1.1 近场区地震活动性和地震构造调查、评价应充分搜集已有资料，分析已有的工作成果，明确存在的问题，确定重点工作对象，开展必要的现场调查和勘查工作。

5.1.2 近场区范围内资料搜集应包括下列内容：

1 搜集不同比例尺的地形图、地质构造图及说明；

2 搜集航片、卫片资料，尤其是线性构造和第四纪地质与地貌特征的判识；

3 搜集有关地震与构造活动性资料。

5.1.3 近场区范围内现场调查应包括下列内容：

1 第四纪地质、地貌特征；

2 断层的展布、产状和活动性，特别是断层最新活动时代的地质地貌特征；

3 破坏性地震的宏观震中及发震构造的初步判识。

5.2 近场区范围和图件比例尺

5.2.1 近场区范围不应小于工程场地及其外延 25km，当出现下列情况时，应将近场区范围适当扩大：

1 工程场地及其外延 25km 范围内断裂基本被第四系覆盖，但在该范围外缘有较明显的地质和地貌现象出露；

2 工程场地及其外延 25km 范围内，与地震构造条件评价密切相关的地质和地貌证据不充分，但在该范围外缘有其典型的证据存在。

5.2.2 近场区地震构造图和震中分布图比例尺不应小于

1：250000。其他图件的比例尺应符合下列要求：

1 现场地震地质调查线路的设计应将已有的地震和地质等相关资料表示在比例尺不小于1：250000的地形图上；

2 现场地震地质调查所依据的地质构造图、航片、卫片等基础资料比例尺不应小于1：250000；

3 野外各种观测点、新发现的活动断裂、破坏性地震的宏观震中、地震地表形变带、断层地貌现象等野外观测结果，均应定位在比例尺不小于1：250000的地形图上。

5.2.3 应根据需要选定活动构造细节图件比例尺。探槽剖面图比例尺宜取1：10～1：50，地质和地貌平面图比例尺宜取1：100～1：1000。

5.3 近场区地震活动性

5.3.1 应充分搜集近场区地震活动性资料和研究成果。对破坏性地震的参数有疑问时，应进行核查，合理确定有关地震参数。

5.3.2 应编制近场区地震目录和地震震中分布图，对 M 大于或等于4.7级地震，应标明发震时间和震级。

5.3.3 应分析近场区地震活动特征，评价近场区地震活动环境。

5.4 近场区地震构造

5.4.1 应搜集第四纪地质和地貌资料，分析第四纪构造活动特点。

5.4.2 应对近场区内主要断层进行详细的活动性鉴定，包括活动时代、性质、运动特性和分段等，并判定其最大潜在地震震级。主要断层活动性鉴定应符合下列规定：

1 应搜集、分析、利用已有研究和鉴定结果，辅以现场查验、调查；

2 鉴定断层的活动性应根据现场地质地貌特点，开展充分的走向上与横向上的追索调查；

3 场地及其附近的主要断层应通过现场实地调查与勘测进行查验和补充工作，以获取更为详细、可靠的实际资料；

4 编制实际材料图，图中应如实反映已有资料和现场勘查的情况；

5 引用的关键数据、研究成果、鉴定资料、地质剖面等均应有明确的原始出处，并进行分析论证。

5.4.3 在覆盖区和水域，已有资料不能确定已知主要断层的活动时代时，应选用地球物理、地质钻探和测年等手段进行勘查。隐伏断层的活动性鉴定宜符合下列规定：

1 应根据航片、卫片和已有的地质、地貌、物探、钻探资料等进行综合分析，初步推测断层的位置、延伸和展布形态；

2 应在初步探测出断层位置后，选择合适的物探方法和探测路线，查明隐伏断层的确切位置和断距；

3 应根据具体情况进行必要的钻探和槽探，确定断距、断错地层及上覆地层，并采集合适的样品，综合分析其活动性。

5.4.4 宜搜集地壳形变和考古资料，分析现代构造活动特点。

5.4.5 应编制近场区地震构造图，近场区地震构造图应包括以下内容：

1 第四纪以来有活动的主要断层及其活动时代；主要断层的活动时代按前第四纪、早第四纪、晚更新世、全新世等四种图例标示。

2 活动断层的性质按剪切（走滑）、拉张（正断）及挤压（逆冲）三种主要力学类型标示。

3 第四系应按 Q_1、Q_2 或 Q_{1-2}、Q_3、Q_4 不同图例标示，主要断层两侧相关的第四系分布应加以细分。

4 反映第四纪盆地的范围及其活动性质，宜给出第四系等厚线。

5 标明破坏性地震震中、震级及发震时间。

5.5 综合评价

5.5.1 近场区地震活动特征综合评价应包括下列内容：

1 近场区历史地震分布特征；

2 近场区现代地震台网观测记录的地震分布特征；

3 地震活动和近场区地震构造之间的关系。

5.5.2 近场区发震构造综合评价应包括下列内容：

1 近场区新构造活动的强度与特点；

2 近场区第四纪构造活动的强度和特点；

3 近场区主要断层活动性鉴定结果以及对工程场地的影响性评价；

4 近场区相关的发震构造综合判定结果。

6 地震动参数衰减关系确定

6.1 一般规定

6.1.1 应搜集、分析区域及邻区的等震线图或地震烈度资料。

6.1.2 应搜集、分析区域及邻区的强震动观测资料。

6.2 基岩地震动衰减关系

6.2.1 在基岩地震动衰减模型中，应考虑地震动峰值加速度和反应谱的高频分量在大震级和近距离的饱和特性。

6.2.2 具有足够强震动观测资料的地区，应采用统计回归方法确定基岩地震动衰减关系。

6.2.3 缺乏强震动观测资料，但具有丰富地震烈度资料的地区，可以本区地震烈度衰减关系和有丰富强震记录的参考区的地震烈度和地震动衰减关系转换确定基岩地震动衰减关系。

6.2.4 既缺少强震记录，又缺少地震烈度资料的地区，可选用地壳介质环境类似地区的基岩地震动衰减关系。

6.2.5 基岩地震动衰减关系的适用性论证应符合下列规定：

1 应从大震或小震、近场或远场影响方面，分析衰减关系能反映本区地震地质和地震活动性影响特征；

2 应与常用衰减关系和本区其他衰减关系对比，对所获得的衰减关系特点进行说明。

6.3 地震烈度衰减关系

6.3.1 应采用有仪器测定震级的地震烈度资料确定地震烈度衰减关系。

6.3.2 地震烈度衰减模型应体现近场烈度饱和并与远场有感范

围相协调。地震烈度衰减关系可采用椭圆模型，用下列公式表示：

$$I_a = C_{a1} + C_{a2}M + C_{a3}\lg(R_a + R_{a0}) + C_{a4}R_a \quad (6.3.2\text{-}1)$$

$$I_b = C_{b1} + C_{b2}M + C_{b3}\lg(R_b + R_{b0}) + C_{b4}R_b \quad (6.3.2\text{-}2)$$

式中：C_{ai} 、C_{bi} ($i=1,2,3,4$)——系数。

衰减模型应满足以下条件：

1 $R_{a0} \geqslant R_{b0}$，即烈度衰减的近场饱和因子在长轴方向大于短轴方向；

2 当 $R_a = R_b = 0$ 时，$I_a = I_b$，即在震中处长、短轴方向烈度应相同；

3 当 R_a 和 R_b 很大时，$I_a = I_b$，即在远场时长、短轴方向烈度应趋同。

6.3.3 应将确定的地震烈度衰减关系和实际地震烈度资料进行对比，论证其适用性。

7 地震危险性概率分析

7.1 地震区(带)划分

7.1.1 地震区应依据地震活动空间分布的分区性和地震与活动构造区的相似性划分。在地震区划分中应重点考虑地震活动及相关背景在空间的分区性。

7.1.2 地震带应在地震区内依据地震活动空间分布的成带性和地震与活动构造带的一致性划分。地震带的划分应符合下列要求：

1 地震活动的空间密集成带或相对集中；

2 地震活动特征相对一致；

3 地震构造背景相对一致；

4 地震活动性统计关系的合理性。

7.2 地震构造区划分

7.2.1 地震构造区划分应在地震带内进行，将地震带划分为具有背景地震强度不同或背景地震频度不同的地震构造区。

7.2.2 应分析地震构造区内的背景地震活动特征，确定其背景地震震级。

7.2.3 地震构造区划分宜符合下列要求：

1 在现今区域地球动力学环境和块体运动作用下，同一地震构造区具有相同或相似的构造变形样式；

2 现今构造应力场一致；

3 深部地球物理场特征一致，同一地震构造区内具有相同或相似的深部构造背景；

4 新构造特征和发震构造模型基本一致；

5 地震活动强度与频度相近，同一地震构造区内与发震构造无关的背景地震具有相同的震级上限。

7.3 潜在震源区划分

7.3.1 潜在震源区划分应在地震构造区内进行，应根据不同发震构造及强震活动不均一性判别地震构造区内潜在震源区。

7.3.2 潜在震源区划分应包括潜在震源区的识别和确定其地震的主要破裂方向、位置、范围和震级上限。

7.3.3 充分利用地震资料和地震构造资料综合判定潜在震源区，应考虑下列标志：

1 地震空间分布图像特征地段，包括破坏性地震震中、微震与小震密集带等；

2 不同级别活动块体边界带；

3 第四纪特别是晚第四纪的活动盆地与活动褶皱；

4 断层活动段，特别是古地震遗迹地段；

5 活动断层的端部、转折处或交汇处等特殊部位；

6 与强震相关的深部构造发育地带。

7.3.4 潜在震源区边界应根据发震构造的几何特征、地震活动空间分布图像及地震构造的取向等确定。

7.3.5 潜在震源区方向应考虑优势破裂方向和可能的共轭破裂方向。

7.4 地震活动性参数确定

7.4.1 地震带的地震活动性参数确定应符合下列规定：

1 应按地震带内历史地震最大震级和地震构造特征确定震级上限 M_{uz}；

2 应考虑地震资料的完整性、可靠性、代表性和地震样本的分布，统计确定震级-频度关系，并给出 b 值；

3 应根据区域地震活动水平和震源深度确定震级下限 M_0；

4　应根据地震带的地震活动趋势确定地震年平均发生率 v_0。

7.4.2　地震构造区的地震活动性参数确定应符合下列规定：

1　应根据地震构造区内地震活动特征和构造类比确定背景地震震级上限 M_u，并按0.5级分档；

2　应按各地震构造区背景地震震级上限以下各震级档地震发生的可能性大小确定空间分布函数 $f_{i,mj}$。

7.4.3　潜在震源区的地震活动性参数确定应符合下列规定：

1　应根据潜在震源区内的最大地震震级、构造类比结果、古地震强度和地震活动图像判定结果等确定震级上限 M_u，并按0.5级分档；

2　应按各潜在震源区资料依据的充分程度和相应各震级档地震发生的可能性大小确定空间分布函数 $f_{i,mj}$；

3　应根据各潜在震源区内断裂构造走向确定方向性概率分布函数 $f(\theta)$。

7.5　地震危险性概率分析计算

7.5.1　地震危险性概率分析计算应给出不同年限地震动参数超越概率曲线。

7.5.2　计算地震动反应谱时，周期点的分布应能控制反应谱形状，数目不应少于15个。

7.5.3　分析计算应考虑地震动衰减关系不确定性校正；必要时，可分析潜在震源区及地震活动性参数不确定性对计算结果的影响。

7.5.4　宜以表格形式给出对工程场地地震危险性起主要作用的各潜在震源区的贡献。

7.5.5　不同年限、不同超越概率的基岩地震动参数应根据工程需要以图表形式给出。

8 场地地震工程地质条件勘测

8.1 场地工程地质条件勘测

8.1.1 场地工程地质条件勘测范围应为工程建设所覆盖的范围。

8.1.2 勘测工作应在搜集、整理和分析相关的工程地质、水文地质、地形地貌和地质构造等资料的基础上进行。

8.1.3 应采用合适的勘测手段查明场地地质构造特征、土层分布、土层参数，并符合下列规定：

1 工程地质调查应查明工程场地的地形地貌、地层岩性、地质构造、水文地质条件等，调查工作可按现行国家标准《岩土工程勘察规范》GB 50021 和现行行业标准《火力发电厂工程地质测绘技术规定》DL/T 5104 的规定执行；

2 钻探宜采用连续取芯钻进，满足采取不扰动试样的要求，钻探和取样的具体要求可按现行国家标准《岩土工程勘察规范》GB 50021 和现行行业标准《电力工程钻探技术规程》DL/T 5096 的规定执行；

3 地球物理勘探和原位测试方法可根据工程需要选取，按现行国家标准《岩土工程勘察规范》GB 50021 和现行行业标准《电力工程物探技术规程》DL/T 5159 的规定执行；

4 室内试验的具体要求可按现行国家标准《土工试验方法标准》GB/T 50123 的规定执行。

8.1.4 Ⅱ级工作的钻孔布置应能控制场地的工程地质条件，控制性钻孔数量不应少于 2 个，并宜布置在主要建(构)筑物附近；地震小区划的钻孔布置应能控制土层结构和不同的工程地质单元，每个工程地质单元内至少应有 1 个控制性钻孔。

8.1.5 Ⅱ级工作和地震小区划的钻孔深度应达到基岩或剪切波

速不小于500m/s处，若孔深超过100m时剪切波速仍小于500m/s，可终孔。

8.1.6 成果资料应包括钻孔平面布置图及柱状图，必要时尚应编制工程地质分区图。

8.2 场地岩土力学参数测定

8.2.1 应进行分层岩土剪切波速的原位测试和试样密度的测定。

8.2.2 Ⅱ、Ⅲ级工作应对典型土样进行动三轴或共振柱试验，测定动剪切模量比与动剪应变关系曲线、动阻尼比与动剪应变关系曲线。

8.2.3 进行竖向地震反应分析时，应取得纵波波速值、动压缩模量比与动轴应变关系曲线、动阻尼比与动轴应变关系曲线。

9 场地地震动参数确定

9.1 一般规定

9.1.1 应结合建设工程的结构特点选择与工程结构抗震设计相适应的场地地震动参数。场地地震动参数应包括场地地表及工程建设所要求深度处的地震动峰值、反应谱，并应符合下列要求：

1 对地震影响主要为惯性力作用的地面结构工程，应给出地震动峰值加速度和加速度反应谱；

2 对埋藏地下的管线工程，尚应给出地震动峰值速度或峰值位移；

3 对超高和大跨度等结构自振周期很长的工程，应考虑长周期反应谱值；

4 对基础埋藏较深的地面结构工程或地下工程，除需要给出场地地表地震动参数外，根据需要尚应提供工程基础或结构埋置深度处的地震动参数。

9.1.2 场地地震动加速度反应谱应由场地地震动峰值加速度、场地地震动加速度反应谱特征周期和反应谱放大系数最大值等参数确定。

9.1.3 对自由基岩场地，应采用概率法进行地震危险性分析，根据地震动反应谱计算值确定场地地震动参数。

9.1.4 对土层场地，应建立场地地震反应分析模型，进行场地土层地震反应分析，并基于场地地震反应分析结果确定场地地震动参数。

9.1.5 在场地地震反应分析计算时，同一超越概率水平下应利用多条样本时程作为计算输入地震动，且不得少于3条样本时程。

9.2 场地地震反应模型建立

9.2.1 场地地震反应模型选择应符合下列规定：

1 地面、土层界面及基岩面均较为平坦时，可采用一维分析模型；

2 对局部范围内地面、土层界面及基岩面在一个水平方向较平坦而在另一个方向起伏较大时，宜采用二维分析模型；

3 对局部范围内地面、土层界面及基岩面在两个水平方向起伏均较大时，宜采用三维分析模型。

9.2.2 地震输入界面的确定应符合下列规定：

1 对Ⅱ级工作和地震小区划，应采用下列方式确定地震输入界面：

1）钻探确定的基岩面；

2）剪切波速不小于 500m/s 的土层顶面；

3）钻探深度超过 100m 时，剪切波速有明显跃升的土层分界面；或者由物探等其他手段探测得到的基岩面；或者邻区相关深孔资料确定的基岩面。

2 地震输入界面宜选择在界面上下土层之间波阻抗比值较大、且其下不存在较小波速值的土层。

9.2.3 选用二维或三维分析模型时，应合理设置人工边界，并考虑边界效应。

9.3 场地土层模型参数确定

9.3.1 场地地震反应分析模型参数应包括土层剖面参数及土体力学性能参数。

9.3.2 在深度 100m 以下土层无实测波速值的情况下，确定相应的力学计算模型参数时应采用近似方法弥补所缺波速值，其近似估计方法应按下列要求进行：

1 对具有土性描述的钻孔，若此钻孔附近有完整钻孔波速值的测点，可采用土性及深度类比方法估计该钻孔所缺波速值；

2 对具有土性描述的钻孔，若此钻孔附近无完整钻孔波速值的测点，可采用本地或工程地质条件相类似地区的其他地区的波速值随土类及埋深变化的统计经验关系，估计该钻孔所缺波速值；

3 对深部无土性描述的钻孔，应利用此钻孔附近其他钻孔的土性描述和波速值资料勾画出此钻孔周围的土层分布特征，由此得到此钻孔深部的土层描述，而后利用土性及深度类比方法依据附近钻孔波速资料估计该钻孔所缺波速值，并确定计算地震输入面。

9.3.3 深度100m以下土层分层特性、土层力学参数可根据工程场地附近的深孔资料或物探资料等综合确定。

9.4 场地土层地震反应分析

9.4.1 地震输入界面输入地震动的确定应符合下列规定：

1 根据本规程第7章地震危险性概率分析结果确定目标反应谱及强度包络函数；合成适合工程场地的三个以上独立的基岩地震动时程，目标反应谱周期控制点数不得少于50个，周期控制点应大体均匀分布于周期的对数坐标上，控制点反应谱的相对误差应小于5%。

2 本地有强震动记录时，宜充分利用其合成适合工程场地的基岩地震动时程。

3 地震输入界面处入射地震波参数应按自由场基岩地震动时程幅值的50%确定。

9.4.2 场地土层地震反应分析计算应符合下列要求：

1 一维模型土层厚度应划分得足够小，使层内各点剪应变幅值大体相等，计算可用等效线性化法；

2 二维及三维模型采用有限元法求解时，有限元网格在波传播方向的尺寸应在所考虑最短波长的1/12～1/8范围内取值。

9.4.3 应根据场地土层地震反应分析计算给出场地相关反应谱，综合确定场地地震动参数。根据需要，可拟合得到非基岩场地地震动时程。

9.4.4 根据工程需要，应以图、表格和公式的形式给出不同年限、不同超越概率的场地地震动参数。

9.4.5 50年超越概率10%的地震动峰值加速度分档原则上可按表9.4.5的规定确定，给出场地对应的地震基本烈度。

表9.4.5 50年超越概率10%的地震动峰值加速度分档

加速度分档	参数值范围	地震基本烈度
0.05g	[0.04g,0.09g)	Ⅵ
0.10g	[0.09g,0.14g)	Ⅶ
0.15g	[0.14g,0.19g)	
0.20g	[0.19g,0.28g)	Ⅷ
0.30g	[0.28g,0.38g)	
0.40g	[0.38g,0.75g)	Ⅸ
	$a \geqslant 0.75g$	Ⅹ

10 场地地震地质灾害勘查和评价

10.0.1 应对地震地质灾害进行勘查，结合场地工程地质条件和历史地震影响资料分析工程场地地震地质灾害类型和分布特征，评价其影响程度。

10.0.2 地震液化勘查和评价应符合下列规定：

1 调查历史地震液化现象；

2 勘查地下水位、可能液化土层的埋藏深度、厚度和非液化土层厚度等资料；

3 测定标准贯入锤击数和颗粒组成；

4 按现行国家标准《建筑抗震设计规范》GB 50011 的规定对地基土液化进行评价。

10.0.3 软土震陷勘查和评价应符合下列规定：

1 应对地震烈度为Ⅶ度及Ⅶ度以上的软土场地进行软土震陷调查工作；

2 应搜集和调查软土层厚度分布及软土震陷等资料；

3 根据软土物理力学性质和钻孔剪切波速测试资料，按现行国家标准《岩土工程勘察规范》GB 50021 和《建筑抗震设计规范》GB 50011 的规定对软土震陷进行评价。

10.0.4 地震引起的崩塌、滑坡、地裂缝和泥石流勘查和评价应符合下列规定：

1 对于土体崩塌、滑坡、地裂缝和泥石流，应搜集和调查工程场地及附近的土层分布及地貌形态；

2 对于基岩岩体崩塌、滑坡、地裂缝和泥石流，应搜集和调查工程场地及附近的地层岩性、地形坡度、节理裂隙、层理等；

3 按现行国家标准《岩土工程勘察规范》GB 50021 的规定对

地震引起崩塌、滑坡、地裂缝和泥石流的可能性进行评价。

10.0.5 地表断层勘查和评价应符合下列规定：

1 搜集和调查工程场地及附近范围存在活动断层，或存在与已知活动断层有构造联系的断层资料；

2 搜集和调查工程场地及附近范围地貌资料，特别是有明显的位错地貌形态；

3 断层活动性判定、评价宜按现行国家标准《岩土工程勘察规范》GB 50021 的规定执行；

4 分析评价地表断层产生错动与变形的可能性，评价其对工程的影响。

11 区域性地震区划和地震小区划

11.1 区域性地震区划

11.1.1 区域地震活动性和地震构造的分析、评价应按本规程第4章的规定执行。

11.1.2 近场区地震活动性和地震构造的分析、评价应按本规程第5章的规定执行。

11.1.3 适合工程区域范围地震动参数衰减关系的建立应符合本规程第6章的规定。

11.1.4 地震危险性概率分析应按本规程第7章的规定执行，并应根据分析结果编制区域性地震区划图。

11.1.5 区域性地震区划的概率水平，应根据工程特性及工程重要性确定。

11.1.6 计算控制点间距不应大于地理经纬度0.1°。在结果变化较大的地段，应加密控制点。

11.1.7 区域性地震区划结果表述应符合下列要求：

1 地震区划图比例尺宜采用1：500000。

2 应采用分区线和等值线表示。

3 根据计算结果确定分区界线时应考虑下列因素：

1）潜在震源区和地震活动性参数的可变动范围及其对结果的影响；

2）地形地貌的差异；

3）区划参数的精度。

4 应编写相应的使用说明。

11.2 地震小区划

11.2.1 地震小区划应包括地震动参数小区划和地震地质灾害小

区划。

11.2.2 地震小区划应重视工程地质条件，特别是局部场地条件对地震破坏作用的影响。

11.2.3 应根据地震小区划范围的大小选择合适的比例尺，图件比例尺可选择1：50000～1：10000。

11.2.4 地震动参数小区划应符合下列规定：

1 地震动参数小区划应包括地震动峰值和反应谱小区划，可用两套小区划图和表格数据表示，分别给出场地地震动峰值加速度图和加速度反应谱特征周期图，以表格形式给出与加速度反应谱特征周期分布图相对应的放大系数平台高度值。

2 地震动参数小区划应符合下列要求：

1)应按本规程第8.1节的规定进行场地工程地质勘测，编制工程地质分区图；

2)在每个工程地质单元分区内，选择能代表分区内工程地质条件和特征的地震反应计算控制点或地质剖面；

3)对每个工程地质分区内的代表性计算控制点，应按本规程第9章的规定进行场地土层地震反应分析，确定控制点的设计地震动参数。

3 应根据计算控制点的设计地震动参数，结合工程地质单元分区，并按下列要求编制给定超越概率水平的场地地震动峰值和反应谱分区图或等值线图：

1)根据场地工程地质单元分区和计算控制点上的地表地震动参数，把小区划范围划分为若干个小区，并在每个小区内确定平均意义上的设计地震动参数；

2)可直接根据控制点计算得到的设计地震动参数进行绘制；

3)图中应注明使用范围以及使用过程中的注意事项。

4 相邻分区或两条等值线地震动峰值加速度的差别不宜小于20％，反应谱特征周期的差别不宜小于0.05s。

11.2.5 地震地质灾害小区划应符合下列规定：

1 按本规程第10章的规定判别不同工程地质单元内地震地质灾害类型及其分布范围，根据工程地质条件和地震地质灾害判别标准分析地震地质灾害强度和破坏程度；

2 编制给定概率水平地震作用下的地震地质灾害小区划图，应符合下列要求：

1）在工程场地控制点或剖面上，分别标明不同类型地震地质灾害的程度指标，勾画出严重、中等、轻微和无四种不同级别灾害的分区界线；

2）地震地质灾害小区划图的比例尺宜与地震动参数小区划图一致；

3）地震地质灾害小区划图中应注明使用范围以及使用过程中的注意事项。

12　地震动峰值加速度复核

12.0.1　应按本规程第4章和第5章的规定，对工程场地地震活动和地震构造资料进行搜集和补充调查，对相关潜在震源区及参数进行论证。并应符合下列要求：

1　应搜集工程场地不小于150km范围内通过评审的地震安全性评价报告和地震区划报告，分析报告中提供的潜在震源区及其地震活动性参数，确定对场地50年超越概率10%峰值加速度起主要影响的潜在震源区；

2　应搜集工程场地不小于25km范围内的仪器记录地震资料、活动断层探测资料、地震地质调查资料；

3　应对主要潜在震源区，特别是近场潜在震源区的震级上限和边界进行复核、确认或进行必要的修改，对潜在震源区的地震活动性参数进行分析。

12.0.2　基岩场地地震动衰减关系宜采用编制中国地震动参数区划图所使用的地震动峰值加速度衰减关系。

12.0.3　应采用地震危险性概率分析方法进行计算，绘制超越概率曲线，确定50年超越概率10%水平的工程场地基岩峰值加速度。

12.0.4　场地地震动参数的确定应按现行国家标准《中国地震动参数区划图》GB 18306的规定执行。

13　成果报告要求

13.0.1　成果报告宜包括下列主要内容：

1　前言；

2　区域地震活动性；

3　近场区地震活动性；

4　区域地震构造；

5　近场区地震构造；

6　地震危险性分析；

7　场地工程地质条件勘测；

8　场地土层地震反应分析；

9　场地设计地震动参数确定；

10　地震地质灾害评价；

11　结论和建议；

12　附件。

13.0.2　提交给委托方的成果报告应附地震管理部门关于成果报告的审定批复结果。

本标准用词说明

1 为便于在执行本标准条文时区别对待，对要求严格程度不同的用词说明如下：

1) 表示很严格，非这样做不可的：

正面词采用“必须”；反面词采用“严禁”；

2) 表示严格，在正常情况下均应这样做的：

正面词采用“应”；反面词采用“不应”或“不得”；

3) 表示允许稍有选择，在条件许可时首先应这样做的：

正面词采用“宜”；反面词采用“不宜”；

4) 表示有选择，在一定条件下可以这样做的，采用“可”。

2 条文中指明应按其他有关标准执行的写法为：“应符合……的规定”或“应按……执行”。

引用标准名录

《工程场地地震安全性评价》GB 17741

《中国地震动参数区划图》GB 18306

《建筑抗震设计规范》GB 50011

《岩土工程勘察规范》GB 50021

《土工试验方法标准》GB/T 50123

《电力工程钻探技术规程》DL/T 5096

《火力发电厂工程地质测绘技术规定》DL/T 5104

《电力工程物探技术规程》DL/T 5159

中华人民共和国电力行业标准

电力工程场地地震安全性评价规程

DL/T 5494—2014

条 文 说 明

制定说明

《电力工程场地地震安全性评价规程》DL/T 5494—2014，经国家能源局2014年10月15日以第11号公告批准发布。

本标准的编制主要考虑下列原则：充分反映电力工程的工作特点；能够实现技术上的先进性、经济上的合理性、实施上的可操作性三者的有机结合；力求反映已颁布的地震安全性评价规范和地震动参数区划图的要求，并兼顾各省、自治区、直辖市地震安全性评价管理规定；及时跟踪第五代中国地震动参数区划图的编制情况，并在本标准编制中加以考虑。

本标准为新编电力行业标准，在制定过程中，本规程编制组对各省、自治区、直辖市关于开展电力工程地震安全性评价工作的具体规定进行了调研，对地震动参数要求、地震地质灾害勘查等重要技术问题进行了调查研究，并编写了《电力工程地震安评现状调查报告》专题报告；本标准编制组总结了近年来电力工程地震安全性评价工作的实践经验以及抗震设计的应用要求，遵循相关国家标准和行业标准，编制了本标准。

为便于广大勘测设计人员在使用本标准时能正确理解和执行条文规定，编制组按照章、节、条顺序编制了本标准的条文说明，对条文规定的目的、依据以及执行中需注意的有关事项进行了说明。但是，本条文说明不具备与标准正文同等的法律效力，仅供使用者作为理解和把握标准规定的参考。

目　　次

1 总　　则

1.0.2 核电工程地震安全性评价已有专门规定，应按照《核电厂工程地震调查与评价规范》GB/T 50572 的规定执行，水电工程地震安全性评价工作也有其特殊性，因此本规程也不作具体规定。

1.0.3 需要作地震安全性评价的电力工程主要为：电力调度中心、发电厂、变电站项目等。本条规定的是必须开展地震安全性评价的项目，其他需要作地震安全性评价的项目可按工程所在地的有关规定及业主要求进行。

对于新建的重要电力工程，按照有关要求，必须进行地震安全性评价工作，但对于扩建、改建的电力工程，原则上可以参考已有的地震安全性评价结果，不再另行开展地震安全性评价工作。但是，若早期工程未进行过地震安全性评价工作或后期地震、地质条件有重大变化、重大发现的电力工程，应按照规定开展地震安全性评价工作。

根据《大中型火力发电厂设计规范》GB 50660 的规定，火力发电厂建(构)筑物抗震设防烈度的确定应符合现行国家标准《建筑抗震设计规范》GB 50011 的有关规定；对已进行地震安全性评价的火力发电厂，应按批准的地震安全性评价报告的有关内容确定。因此本条仅对单机容量进行了规定，对一些燃机项目，按照需要及地方规定确定是否需要开展地震安全性评价工作。

长距离超高压输电线路工程，一般会跨越多个地震动分区，因此根据需要有必要开展地震安全性评价工作的可按沿线地震区划工作进行。

风力发电、太阳能发电项目占地面积大，可根据工程需要以及业主要求，确定是否开展地震安全性评价，可按地震小区划工作进行。

近年来，随着城市建设项目的发展，城市中心的电力负荷越来越大，因此采用电力电缆隧道形式输送电力也越来越普遍，且埋置深度较深，因此根据需要宜开展电力电缆隧道工程的地震安全性评价工作。

各省、自治区、直辖市根据相关法规、规定，并结合各自的工程特点，与建设部门共同发布了“建设场地地震安全性评价管理办法”(也有的称规定、实施细则、实施办法或暂行办法等)，因此，必须遵守各省、自治区、直辖市的相关规定，对本行政区有重大影响的其他电力工程开展地震安全性评价工作。另外，对一些国务院确定具有立法权的特大城市，若有关于地震安全性评价方面的规定，也必须遵照执行。

3 基本规定

3.0.2 考虑电力工程类型、规模、地震地质条件、资料研究程度等因素，按《工程场地地震安全性评价》GB 17741 的规定，电力工程地震安全性评价工作级别包括Ⅱ、Ⅲ和Ⅳ级，无Ⅰ级。

Ⅱ级工作应包括地震危险性概率分析、场地地震动参数确定和地震地质灾害评价。其中第 1.0.3 条第 1 款～第 4 款所规定的项目属于Ⅱ级评价工作范畴。电力电缆隧道工程宜按Ⅱ级开展工作。

Ⅲ级工作应包括地震危险性概率分析、区域性地震区划和地震小区划。长距离超高压输电线路工程、风力发电、太阳能发电项目可按Ⅲ级进行评价，其中长距离超高压输电线路工程可进行工程沿线区域性地震区划，风力发电、太阳能发电项目可进行地震小区化。

Ⅳ级工作应包括地震危险性概率分析和地震动峰值加速度复核。根据工程需要，确定需要开展地震动峰值加速度复核工作的一般电力工程可按Ⅳ级进行评价。

3.0.3 按照《建筑工程抗震设防分类标准》GB 50223—2008 第 5.2 节的规定，电力工程中除国家和区域电力调度中心的抗震设防类别为特殊设防类（甲类），其他重要电力工程的抗震设防类别为重点设防类（乙类）。

对于乙类建（构）筑物，一般应提供 50 年超越概率分别为 63%、10%、2%水平的场地地震动参数，包括加速度值、反应谱等，有特殊需要的，应按业主和设计要求提供，如特高压输电线路大跨越工程，除应提供 50 年超越概率分别为 63%、10%、2%水平的场地地震动参数外，尚应按设计要求提供 5%、1%的地震动参数；对于甲类建(构)筑物,其抗震设防概率水平比乙类建(构)筑物高,因此需提供高于上述超越概率水平的地震动参数,具体的超越概率水平应由设计提出。

若设计需要采用地震动时程进行抗震计算,除提供上述地震动峰值加速度和反应谱外,尚需提供场地地表加速度时程。

对一些地下结构和深埋结构,所提供的地震动参数应包括地下结构埋深处的地震动峰值加速度、反应谱、峰值速度甚至峰值位移等。

4 区域地震活动性和地震构造评价

4.1 一般规定

4.1.1 本条规定是区域地震活动性和地震构造评价最基本要求，主要根据区域地震活动情况和地震构造对电力工程场地差异性影响特点，分析和评价区域范围内地震构造环境和地震活动水平，为合理确定地震区(带)、地震构造区和潜在震源区划分、地震活动性参数提供依据。

4.1.2 区域地震活动性和地震构造评价方法主要以搜集资料为主，通过综合分析完成。

4.2 区域范围和图件比例尺

4.2.1 本条规定了区域工作的最小范围，考虑到远源地震和近源地震对电力工程场地的影响程度，依据区域工作内容、详细程度和技术要求的不同，根据远震到场地的远近，确定区域工作范围大小，目的在于不遗漏对工程场地地震安全性评价结果有影响的远源潜在大地震。

区域研究范围的选取直接关系到工程场地地震安全性评价结果的可靠性，应对区域研究范围选取作必要的论证和说明。

4.2.2 区域地震构造图是地震安全性评价工作中分析区域发震构造特征、划分潜在震源区等方面的重要依据，属于关键性区域基础图件，应简明扼要地反映地震和地质方面的主要内容。该比例尺反映了对基础资料和图件的内容、精度和详细程度的要求。

对有些内容不多，精度要求不很高的区域性分析图件，如大地构造分区图、地震区(带)划分图、地震构造区划分图等可采用较小比例尺。

4.2.3 所有区域性图件均应标明工程场地的位置，以便直观地显示工程场地所处的地震活动和地震构造环境。

4.3 区域地震活动性

4.3.1 完整可靠的地震目录是研究区域地震活动性的最基础资料。相关的地震资料包括历史记载的破坏性地震资料和现代地震观测台网记录的地震资料两部分。

本条规定所指的历史地震资料是指有区域地震台网记录之前依据地震破坏的文献记载分析得到的破坏性地震事件。

4.3.2 区域地震震中分布图编制的目的是为了分析地震空间分布特征。实际编图时，区域范围和比例尺都要满足要求，内容准确，图面清晰。破坏性地震震中分布图应以震级分档形式标示区域范围内所有震级 $M \geqslant 4.7$ 的地震事件。对工程场地评价有重要意义的地震，应在震中符号旁标明该地震的发震时间和震级。

在有中源、深源地震活动的地区，震中分布图中应明显标出浅源、中源和深源地震，为潜源划分和地震动衰减关系的选取提供依据。

4.3.5 由于影响烈度的因素很多，许多大地震的等震线形状都很不规则，难以用“点圆”或“点椭圆”衰减模型来描述，在建立用于统计分析的场地影响烈度目录时，不能简单地利用烈度衰减关系来估算场地影响烈度。对Ⅴ度以上的烈度值，要查阅《中国地震历史资料汇编》、《中国历史地震图集》、《中国历史强震目录》、《中国近代地震目录》等资料的等震线图来核实场地影响烈度；对于有较大的烈度值，尤其是场地可能位于烈度异常区的，应当根据场地及附近的宏观资料复核评定烈度。对于某些近期发生的强破坏性地震，应根据对工程场地及附近村镇的实际调查资料，复核评定场地影响烈度。

4.4 区域地震构造

4.4.1 地震构造是指与地震孕育和发生有关的地质构造。区域地震构造评价一般不需要开展现场调查工作，主要搜集和分析现有地质、地震和地球物理场等资料。

4.4.2 对工程场地地震安全性评价结果可能产生较大影响的断层，当其活动长度不清楚、活动性分段不明确、最大潜在地震评价资料不充分或已有资料显示对该断层活动性的认识不一致时，应补充现场调查。

4.4.3 编制地震构造图的目的是为地震区（带）划分、潜在震源区判定等提供地震构造依据。

4.5 综合评价

4.5.1 主要评价区域地震活动性特点和发震构造整体特征，包括区域范围最早记录到的历史地震、历史破坏性地震数量、最大历史地震、历史地震资料完整的年代以及区域内现代地震观测台网记录的地震资料概况；包括不同强度地震发生的空间分布特征、区域平均震源深度和优势分布范围等；包括各地震带的地震活动期、各活动期的起止年限、未来50年或100年地震活动水平；包括现代构造应力场的特征、最大和最小主应力方向；包括工程场地所遭受到的最大历史地震影响烈度及烈度的频次特征。

4.5.2 本条规定明确了电力工程评价区域地震构造环境，分析不同震级档的地震构造条件的最低要求和评价、分析应包含的内容。

5 近场区地震活动性和地震构造评价

5.1 一般规定

5.1.1 近场区是工程场地地震安全性评价工作的主要研究地段，分析已有的工作成果，明确存在的问题，确定重点工作对象，开展必要的现场实际调查与勘查工作。

5.1.2 本条规定明确了近场区范围内搜集资料的最低要求和资料搜集应包括的内容。

5.1.3 本条规定明确了近场区范围内现场调查的最低要求和应包括的内容。

5.2 近场区范围和图件比例尺

5.2.1 近场区范围适当扩大应以能够解决近场区主要断层活动性鉴定和发震构造判定等主要问题为原则，这种扩大可以是非对称性的。

5.2.2 本条规定明确了比例尺的目的不仅仅是为了地震构造图和震中分布图等成果图件的编制，更重要的是给现场地震和地质调查工作提出了工作量和工作精度方面的要求。

我国目前测绘部门提供的数字化地形图的比例尺是1∶250000，在使用时可以兼容原有的1∶200000地质区测图和1∶200000未数字化地形图。

5.2.3 反映活动构造细节的图件，应根据实际情况和要说明问题的需要选定比例尺。一般情况下，平面图的比例尺应大于1∶250000，表示断裂活动性的地质剖面比例尺可适当取小些，显示较大范围地质和地貌现象的平面图和剖面图比例尺可取更小些。可能对工程场地产生重要影响的活动断裂，应根据实际情况，采用较大的比例尺，进行活动断裂填图。反映活动断裂古地震现象的探槽实测剖面，宜采用较大的比例尺，以尽可能详细地反映断层活动的信息。

活动构造细节应包括下列内容：

(1)可能对断裂活动性和破裂起分段作用的阶区和障碍构造，包括活动断层的组成、形态、介质结构与地质构造等；

(2)活动断层的几何形态和产状特殊变异的部位；

(3)反映活动断层新活动特征的断层地貌现象，如水系与山脊的错动、断层陡坎等。

5.3 近场区地震活动性

5.3.1 如果对破坏性地震的参数有疑问，则必须进行资料核查，确定震中位置和强度。参数有疑问的破坏性地震包括：对全国性地震目录中地震参数有争议的疑问地震、其他文献中有记载的未经确认的地震等。

5.3.2 编制近场区地震震中分布图时，应注意区分历史地震和仪器记录地震；分析地震的空间分布特征，应特别注意强地震与活动构造、中小地震震中分布的成带性和成丛性与构造活动的关系。

5.4 近场区地震构造

5.4.1 近场区搜集资料的范围应视近场区在新构造单元中的位置而定，以能说明问题、反映特点为原则。相应的地质地貌图件比例尺可以依选定的范围不同而具体确定，这种图件相对近场区范围而言可以是非对称的。

分析的内容主要是第四纪地层(时代、分布、厚度等)和地貌面(夷平面、剥蚀面、台地、阶地)的划分和时代的判定等，并建立第四纪地层剖面，重点分析与断层第四纪活动有关的地质地貌现象。

5.4.2 本条规定主要明确了近场区内主要断层的类型和活动性野外鉴定的原则，在野外应以地质地貌学的调查分析方法为主，必要时要做现场补充勘查工作。在进行地质地貌调查与分析时，应注意从宏观入手,微观取证,精细分析,最终综合判定断层活动性。断层活动性的鉴定尤其是断层活动时代的鉴定是近场区地震和地质工作的核心内容,其活动性鉴定的工作深度应根据电力工程的等级、规模、范围和主要建筑物的抗震设防要求而定。

主要断层是指:

(1)区域地震构造图上有标示的区域性断层;

(2)长度大于 10km 的断层;

(3)对其活动时代的认识有分歧,且可能影响到场地地震危险性分析结果的断层;

(4)晚更新世以来存在活动迹象的断层;

(5)通过工程场地且与地震安全性评价相关的断层;

(6)与破坏性地震特别是 $M \geqslant 6$ 级地震在空间位置上相关的断层;

(7)与现代小震密集活动或条带状分布相关的断层;

(8)可能延伸到近场区内的活动断层;

(9)指向工程场地,且可能对工程场地地震安全性评价有影响的断层。

5.4.3 本条规定了覆盖区和水域已有资料不能确定已知主要断层的活动时代时,应该采取的勘查方法及其相应工作步骤。对近场及其邻近地区没有地表可观测的地质露头的断层,同时具备以下情况时,选用地球物理、地球化学、地质钻探和测年等手段进行勘查:

(1)主要断层,而非次要断层;

(2)有相应证据表明其存在的已知断层;

(3)已有资料不能确定其活动时代。

5.4.4 由于地质形变资料和考古资料具有很大的局限性,使用这两方面的资料时,应采取慎重的态度,应十分注意非构造活动因素的作用和影响。只有通过查验、分析论证后,才可以应用于说明构造活动性。

5.4.5 本条规定主要明确了编制近场区地震构造图的内容及其要求。注意在我国东部地区，与地震构造判定、潜在震源区划分可能相关的中更新世断层应与早更新世断层相区别；对于第四纪以前活动的区域性断层以及与场址区关系密切的主要断层，宜表现在近场区地震构造图中，以充分反映近场区的构造格架及主要断裂活动性鉴定的结果。

5.5 综合评价

5.5.1 本条规定综合评价近场区地震活动特征的基本内容和具体要求，目的是给出近场区地震活动性和地震构造评价的基本结论。

5.5.2 本条规定综合评价近场区发震构造的基本内容和具体要求。综合评价的深度应达到对场址区安全性可能产生影响的主要断层给出的鉴定结论；并判定出发震构造，给出震级上限。

充分利用近场区调查发现，通过分析研究，对潜在震源区划分给出评价。

6 地震动参数衰减关系确定

6.1 一 般 规 定

6.1.1 本条要求搜集、分析等震线图或地震烈度基础资料，但在搜集资料时应注意以下几点：

（1）地震烈度资料包括等震线资料和原始烈度点资料。等震线是根据原始烈度点的资料勾绘成的比较平滑的曲线。在研究地震烈度衰减关系时，应正确理解这两类资料，不同于用原始烈度点求得的烈度衰减关系。

（2）正确理解“区域及邻区”概念。不同地区的地震烈度有不同的衰减规律，但这里的区域并不是行政上的概念，而是地震构造上的划分。之所以要将收集的区域扩大到邻区，是因为区域范围内的地震样本数太少，不足以稳定地用经验方法求得衰减关系，因此将收集资料的范围扩大到与本区有相似地震地质和地震活动性特征的邻区区域。

（3）在收集地震烈度资料时，要选用国家正式出版物、地震考察报告等权威性资料。

6.1.2 本条要求搜集、分析强震动观测资料，但在搜集资料时应注意以下几点：

（1）强震动资料的完整性；

（2）注意强震动资料的适用范围；

（3）由于国内强震记录较少，因此要注意搜集与所研究区域有相似地震活动性、地震地质和场地条件特征的国外一些地区的强震记录资料，用于求取地震动衰减关系。

6.2 基岩地震动衰减关系

6.2.1 反映近场大震饱和的地震动衰减关系可采用以下形式：

$$\lg Y = C_0 + C_1 M + C_2 M^2 + C_3 \lg[R + R_0(M)] + C_6 R + \varepsilon$$

其中，$R_0(M) = C_4 \exp(C_5 M)$；Y 为地震动峰值或不同周期的反应谱值；当 Y 为反应谱时，各系数 C_i（$i=0,1,...,6$）为周期的函数；ε 为回归分析的误差项。

6.2.2 如果区域和邻区有足够多的强震记录，则建立该区域地震动衰减关系最直接最可靠的方法是统计回归方法。我国大陆已有个别地区有一定数量的强震记录，在采用统计回归方法确定地震动衰减关系时，应分析样本量的充足性及震级距离分布的合理性。

6.2.4 本条规定明确了既缺少强震记录，又缺少地震烈度资料的地区基岩地震动衰减关系的确定方法，可选用类比方法、半理论半经验方法等。

6.2.5 无论是用强震动观测资料直接统计回归得到的地震动衰减关系，还是用转换方法得到的衰减关系，或者是其他方法得到的衰减关系，都需要进行衰减关系的适用性论证。

6.3 地震烈度衰减关系

6.3.1 之所以规定应采用有仪器测定震级的地震烈度资料确定地震烈度衰减关系，一是因为历史地震震级是由震中烈度换算的，不能作为独立参数使用；二是历史地震的记载一般来自县志，其记录的破坏情况往往是以一个县的范围来勾划等震线，不如现代地震调查详细。因此在确定地震烈度衰减关系时，应采用有仪器测定震级的地震烈度资料。

6.3.2 我国的地震烈度等震线特别是高烈度等震线一般表现为近似椭圆形，因此目前我国的地震烈度衰减关系多采用椭圆模型。采用椭圆衰减模型时，一般要先确定长、短轴方向，再对长、短轴分别求其衰减关系，最后用椭圆连接起来。

6.3.3 本条规定确定的地震烈度衰减关系所使用的资料一般为较大区域的资料，地震烈度衰减关系是否适用工程场地，还要与本地区的地震烈度资料进行对比后才能确定，并论证其适用性。

7 地震危险性概率分析

7.1 地震区(带)划分

7.1.1 目前我国地震安全性评价工作使用的地震危险性概率分析方法称为“考虑地震活动时空不均匀性的概率地震危险性分析方法”,简写为 CPSHA。CPSHA 方法中的地震区(带),就是地震活动性参数的统计单元,也可称为地震统计区。地震区是指区域地震活动性、区域现代构造应力场、区域地质构造活动性及区域现代地球动力学环境相类似的区域。其划分的目的主要是在更高层次上考虑地震带的区域构造和动力学背景,以及具有较大孕震范围的特大地震的地震活动性统计特征。我国地震活动性区域性特征十分鲜明,因此,在地震区划分中应重点考虑地震活动及相关背景在空间的分区性。而同一地震区内地震活动的相似性,通常是指区内地震带地震活动的方式、活动期次划分及其时段长度等特征具有一定的可比性。

7.1.2 地震带是地震区的次级地震统计区域,其划分目的是确定统计单元。地震活动性统计关系的合理性是指:

(1)地震带内的地震样本应大致归属于同一样本空间;

(2)地震带内应包括足够大的样本量;

(3)地震带内大小地震震级分布应能较好地符合具有统计显著性的指数分布。

在地震安全性评价工作中,推荐使用全国性区划图工作中使用的地震区(带)划分方案,对区划图的地震区(带)划分进行任何调整都必须满足划分原则和统计上的合理性,还必须与现行颁布的区划图在工作区域外围地区地震活动性总体评价方面具有一致性,避免任意调整地震区(带)的划分。

7.2 地震构造区划分

7.2.1 地震构造区是指在现今地球动力学环境下，地震构造环境和发震构造模型一致的地区。国家标准《中国地震动参数区划图》GB 18306的修订过程中，考虑到地震统计区（带）的广大空间范围内地震构造环境特点、地震构造模型、地震活动性特征往往有较大区别，而且地震统计区（带）内不同地区的背景地震活动强度、频度也存在明显差别，潜在震源区采用三级划分方法，即在地震区（带）下划分地震构造区，以控制地震带内地震活动的差异性，然后在地震构造区内再进行潜在震源区划分。

7.2.2 背景地震是指地震构造区内与发震构造无关的地震，一般为中强地震或中小地震。地震构造区内背景地震的最大震级等于或高于所在地震带的本底地震。地震构造区内背景地震震级上限主要依据地震活动特征与地震构造环境类比确定。

7.3 潜在震源区划分

7.3.1 潜在震源区定义为"未来可能发生破坏性地震的地区"。其划分宜采用地震构造类比和地震活动重复两条原则。

7.3.2 潜在震源区划分的工作深度应满足下列原则：

(1)发震构造与潜在震源区协调一致的原则；

(2)高震级档地震活动水平的确定与大震复发间隔协调的原则；

(3)近场区及其邻区潜在震源区复核的原则。

7.3.3 在具体划分时，还应注意强地震活动区与弱地震活动区在判定潜在震源区的方法上的差异，注意新资料、新成果的应用。

7.3.5 椭圆长轴取向随地而异，与相应潜在震源区的构造走向有关，确定主破裂方向。

7.4 地震活动性参数确定

7.4.1～7.4.3 CPSHA方法需要确定的地震活动性参数分为三

个层次:地震带的地震活动性参数和地震构造区、潜在震源区地震活动性参数。

地震带活动性参数包括震级上限 M_{uz}、震级下限 M_0、震级-频度关系 b 值、地震年平均发生率 v_4;潜在震源区活动性参数包括震级上限 M_u、各震级档空间分布函数 $f_{i,mj}$ 和方向性函数 $f(\theta)$。各参数意义表述如下:

地震带震级上限 M_{uz}:地震带内震级-频度关系中累积频度趋于零的上限震级值。

地震带震级下限 M_0:亦称起算震级,地震带内考虑其对场地地震影响的最小震级值,一般取 4.0 级。

地震带震级-频度关系:地震带内地震震级 M 与大于或等于 M 的地震频数的常用对数值的线性拟合关系,也称为古登堡-里克特关系或 G-R 关系,关系式为 $\lg N = a\text{-}bM$。

地震带地震年平均发生率 v_4:地震带内大于或等于某一特定震级(通常取 $M=4$)地震的年发生次数,反映地震带内的地震活动水平。

地震构造区、潜在震源区震级上限 M_u:潜在震源区内发生概率趋于零的最大地震震级值。

地震构造区、潜在震源区各震级档空间分布函数 $f_{i,mj}$:一个地震带内发生一次 m_j 档震级地震落在第 i 地震构造区、潜在震源区内概率的大小,空间分布函数是表述地震带内地震活动空间不均匀性的重要参数。

方向性概率分布函数可表示为:

$$f(\theta) = c\delta(\theta_1) + d\delta(\theta_2)$$

式中,θ_1 和 θ_2 为潜在震源区内可能的主破裂面走向与正东方向的夹角;c 和 d 为相应的取向概率。

地震带的震级上限应根据地震带内历史地震的最大震级和地震构造特征确定;震级-频度关系应考虑地震资料的完整性、可靠性、代表性及必要的样本量统计确定;地震年平均发生率应根据地震活动趋势确定;震级下限应根据区域地震活动水平和震源深度确定。

潜在震源区震级上限按0.5个震级单位为间隔确定,通常分为5.5级、6.0级、6.5级、7.0级、7.5级、8.0级、8.5级等。潜在震源区震级上限是根据潜在震源区本身的地震活动和地震构造特征,与潜在震源区划分同时确定的。

7.5 地震危险性概率分析计算

7.5.2 规定周期点数不少于15个的目的是为了可靠控制反应谱的形状,同时应注意周期分布应相对均匀。

7.5.3 概率地震危险性分析中,每个环节都存在不确定性,往往对结果产生较大的影响。因此,应进行不确定性校正工作。

8 场地地震工程地质条件勘测

8.1 场地工程地质条件勘测

8.1.1～8.1.3 场地地震工程地质条件是指对场地地震效应产生影响的场地条件，包括场地及附近地区的工程地质、水文地质、地形地貌、地质构造等。勘测内容主要包括：在分析现有资料的基础上，进行场地钻探及测试工作，编制相关图表，综合评价场地特性。

8.1.4 根据工程重要性的不同，场地条件对地震反应分析过程中选取精度的要求也不同。条文中规定的控制孔数量目的是以最小的勘测工作量投入实现评价场地工程地质条件和满足地震小区划要求。

8.1.5 当钻探不能揭示下卧基岩层时，选用剪切波速不小于500m/s的土层作为地震输入界面，这样规定是考虑500m/s的剪切波速值实际相当于工程中坚硬土层的剪切波速经验值，并已为工程界所公认和采用。另外，若孔深超过100m时剪切波速仍小于500m/s，则可终孔。这样规定的原因是：对于这种情况的场地，如要求钻孔深度达到基岩或剪切波速大于或等于500m/s处，钻孔深度将过深，从而大大增加施工难度及工程费用。对于超过100m的深地层，可根据物探等其他手段或邻区相关深孔资料综合确定基岩输入面。

8.1.6 钻孔平面布置图宜选择与场地规模相应的比例尺，一般选用1∶1000～1∶10000；柱状图的比例尺视土层结构复杂程度而定，一般选用1∶100～1∶1000。

地震小区划重视场地工程地质条件，特别是局部场地条件对地震动的影响。在进行地震小区划场地勘测之前应根据已有资料先进行工程地质单元划分，这样既可保证地震小区划结果的科学性和合理性，又能降低场地勘测成本。工程地质分区图比例尺宜为1∶10000～1∶50000；图中应重点突出钻孔位置、孔口标高、钻孔深度、覆盖层厚度、古河道、古湖塘等。

8.2 场地岩土力学参数测定

8.2.1 为了确保场地地震反应计算中所建立的场地力学模型的合理性，需进行波速的原位测试。测试方法可采用单孔法或跨孔法，测量间距不得大于2m，且在地层分界面附近应加密测点。此外，对于难以满足波速测试条件的工程场地，如海域等深水区域，可在钻孔时获取分层的不扰动土样，利用室内模拟土层实际环境下的土样波速测试手段测定分层岩土波速值。

8.2.2 土样动三轴或共振柱试验，可获得土体动力非线性特性参数，其中动三轴试验适用于剪应变幅较大的情况（约为10^{-2}～10^{-3}量级），共振柱试验适用于剪应变幅较小的情况（约为10^{-4}～10^{-6}量级）。对于Ⅱ级工作和地震小区划不要求动三轴和共振柱试验都做，是考虑了工作量与经济性的问题，在此情况下，试验有效值范围外的剪应变模量比和阻尼比值可由经验公式外推获得。

8.2.3 对于需要进行竖向地震反应分析计算的工程场地，应利用动三轴、共振柱试验获取土样的相关关系曲线。

9 场地地震动参数确定

9.1 一般规定

9.1.1 对基础埋藏较深的地面结构工程或地下工程，应给出场地地表和所需深度处的场地地震动参数值，具体的深度位置应与抗震设计人员共同来确定。对于电力工程而言，一般比较少进行时程分析计算，因此可只提供地震动峰值和反应谱，对一些特殊工程需要提供加速度时程时，应另行提供。

9.1.2 反应谱宜以规准化形式表示，建议采用现行国家标准《建筑抗震设计规范》GB 50011 中的标准反应谱形式，方便工程抗震设计使用。特别是对于利用反应谱法进行抗震设计的工程，同时能在一定程度上消除随机因素所造成的地震动反应谱谱值随周期剧烈变化的不合理性。

按照现行国家标准《工程场地地震安全性评价》GB 17741—2005 及宣贯教材，地震安全性评价一般是提供阻尼比为5%的地震动参数。对于其他阻尼比的地震动参数可以采用直接计算的方式提供，也可以参照现行国家标准《建筑抗震设计规范》GB 50011 第5.1.5条的规定执行。

9.2 场地地震反应模型建立

9.2.2 对于不同级别的工作，地震输入界面的确定要求有所不同。对于Ⅱ级工作和地震小区划，当钻探已揭示出土层下卧基岩层时，应选择基岩层顶面作为地震输入界面；如果钻探未能揭示出土层下卧基岩层，则应选用剪切波速不小于500m/s的土层顶面作为地震输入界面；对于深软覆盖土层场地情况，在钻探深度超过100m时所揭示出土层剪切波速值仍小于500m/s时，可选择剪切波速有明显跃升的分界面或由其他方法确定的界面作为地震输入界面。

严格讲，地震输入界面应具有两个基本特性：①地震输入面以外的介质应为基岩或足够坚硬且非线性较小的土体；②地震输入界面之下介质的波速值与其上部的土层的波速值之间应满足一定的比值条件。特性①用以保证地震输入界面之下介质为线性或近似线性介质；特性②用以保证以弹性半无限空间介质来模拟界面之下真实介质的精度。

但无论选择多大剪切波速值的土层（包括基岩层）顶面作为地震输入界面，均应尽可能是界面上下土层之间波阻抗比值（$\rho_{下} V_{S下}/\rho_{上} V_{S上}$）较大（如大于2）的土层分界面，且其下不存在较小波速值的土层。

9.2.3 设置人工边界的目的在于利用有限空间分析方法处理地震输入界面外的无限空间问题。取满足某种条件的人工边界，使之能代替人工边界以外介质的作用，以尽可能模拟波在人工边界处的完全透射效应。因为人工边界是在原连续介质中设置的一种虚拟边界，该边界处实质上不应出现波的反射。人工边界处理方法有多种，如远置人工边界方法、黏性边界方法、旁轴近似方法、一致传递边界方法、无穷元方法及透射人工边界方法，可以根据实际情况并结合人工边界内点运动的求解方法选用合适的人工边界。

9.3 场地土层模型参数确定

9.3.1 场地地震反应分析模型参数包括土层剖面参数及土体力学性能参数，其中土层剖面参数主要为土层厚度、土层密度；土体力学性能参数主要包括土层剪切波速度和纵波速度、土体动力非线性关系［即剪切（或压缩）模量比与剪（或轴）应变关系曲线、阻尼比与剪（或轴）应变关系曲线］。这些参数均可根据场地工程地质勘测与试验确定。

9.4 场地土层地震反应分析

9.4.1 强度包络函数通常已被地震动时程的峰值归一化，这时时程的峰值、放大倍数反应谱和强度包络函数分别反映了地震动强度、频谱和持续时间三要素。

强度包络函数应表现上升、平稳和下降三个阶段的特征。强度包络函数 $f(t)$ 可采用下式：

$$f(t)=\begin{cases}(t/t_1)^2 & 0\leqslant t<t_1\\ 1 & t_1\leqslant t<t_2\\ e^{-c(t-t_2)} & t\geqslant t_2\end{cases}$$

式中 t_1、t_2 和 c 均为震级 M 和震中距 R 的函数，一般情况下用统计回归的方法确定，其经验关系为：

$$\lg X = C_0 + C_1 M + C_2 \lg(R+R_0) \pm \sigma_\varepsilon$$

式中 X 指 t_1、t_2 和 c。

9.4.2 一维场地计算模型中，波速分层应尽可能细分，确保计算土层层内各点剪应变幅值大体相等，以在计算中合理地反映土层中不同深度土体的非线性程度的差别。理论上讲，计算土层厚度取得越小计算精度就越高，但计算量就越大。因此取一个计算量尽可能小且能获得足够计算精度的计算层厚度是必要的。根据理论分析和计算经验，计算土层厚度值控制在所考虑的有效地震波最短波长的 1/20～1/5 范围内是合适的。

10 场地地震地质灾害勘查和评价

10.0.3 《岩土工程勘察规范》GB 50021—2001(2009 年版)条文说明中,根据唐山地震经验提出的下列标准可作为参考:

当地基承载力特征值或剪切波速大于表 5.5 中数值时,可不考虑震陷影响。

表 5.5 临界承载力特征值和等效剪切波速

抗震设防烈度	7 度	8 度	9 度
地基承载力特征值 f_a(kPa)	>80	>100	>120
等效剪切波速 v_{se}(m/s)	>90	>140	>200

《建筑抗震设计规范》GB 50011—2010 规定:饱和粉质黏土震陷的危害性和抗震沉陷措施应根据沉降和横向变形大小等因素综合确定,8 度(0.30g)和 9 度时,当塑性指数小于 15 且符合下式规定的饱和粉质黏土可判为震陷性软土。

$$W_S \geqslant 0.9W_L$$

$$I_L \geqslant 0.75$$

式中:W_S——天然含水量;

W_L——液限含水量,采用液、塑限联合测定法测定;

I_L——液性指数。

10.0.5 地表断层勘查和评价。《建筑抗震设计规范》GB 50011—2010第 4.1.7 条规定:场地内存在发震断裂时,应对断裂的工程影响进行评价,并应符合下列要求:

1 对符合下列情况之一的情况,可忽略发震断裂错动对地面建筑的影响:

(1)抗震设防烈度小于 8 度;

(2)非全新世活动断裂;

(3)抗震设防烈度为8度和9度时，隐伏断裂的土层覆盖厚度分别大于60m和90m。

2 对不符合本条第1款规定的情况，应避开主断裂带。其避让距离不宜小于表4.1.7对发震断裂最小避让距离的规定。在避让距离范围内确有需要建造分散的、低于三层的丙、丁类建筑时，应按提高一度采取抗震措施，并提高基础和上部结构的整体性，且不得跨越断层线。

表4.1.7 发震断裂的最小避让距离

烈度	建筑抗震设防类别			
	甲	乙	丙	丁
8	专门研究	200m	100m	—
9	专门研究	400m	200m	—

根据断层活动性调查结果，当发现工程场地及其附近范围存在活动断层时，应评价其产生地表错动与变形的可能性、可能分布范围、发育程度，以及对工程场地的影响。

《火力发电厂岩土工程勘测技术规程》DL/T 5074—2006规定：

1 断层活动性分类应符合下列规定：

1) 全新活动断裂：在全新地质时期(1万年)内有过活动或近期正在活动，同时推测将来可能继续活动的断裂；

2) 发震断裂：全新活动断裂中，近期(近500年来)发生过地震震级$M \geqslant 5$的断裂；或在未来100年内，预测可能发生地震震级$M \geqslant 5$的断裂。

3) 非全新活动断裂：1万年以来未发生过任何活动的断裂。

2 全新活动断裂可根据其活动时间、活动速率及地震强度等因素，按表7.1.4的规定划分为强烈全新活动断裂、中等全新活动断裂和微弱全新活动断裂。

表 7.1.4 全新活动断裂分级

断裂分级 \ 指标		活动时代及活动性	平均活动速率 v (mm/a)	历史地震或古地震（震级 M）
Ⅰ	强烈全新活动断裂	中或晚更新世以来有活动，全新世以来活动强烈	$v>1$	$M>6$
Ⅱ	中等全新活动断裂	中或晚更新世以来有活动，全新世以来活动较强烈	$v>0.1$	$6\geqslant M\geqslant 5$
Ⅲ	微弱全新活动断裂	全新世以来有微弱活动	$v\leqslant 0.1$	$M<5$

发电厂与断裂的安全距离及处理措施应符合表 7.1.8 的规定。

表 7.1.8 发电厂与断裂的安全距离及处理措施

断裂分级		安全距离及避让措施
Ⅰ	强烈全新活动断裂及发震断裂	当地震基本烈度为Ⅸ度时，宜避开断裂 1200m； 当地震基本烈度为Ⅷ度时，宜避开断裂 800m，并宜选择断裂下盘建设
Ⅱ	中等全新活动断裂	宜避开断裂 400m
Ⅲ	微弱全新活动断裂	宜避开断裂进行建设，不使建筑物横跨断裂

对非全新活动断裂，可考虑其对厂址稳定性的影响，当断裂破碎带发育时宜按不均匀地基对待。

11 区域性地震区划和地震小区划

11.1 区域性地震区划

11.1.1～11.1.7 《中国地震动参数区划图》GB 18306 是适用于全国一般性建设工程的抗震设防要求，未考虑各个地区的特殊要求。该标准涉及的两张区划图概率水平为 50 年超越概率 10%，区划图比例尺为 1∶4000000，不能完全满足区划精度要求高、工程重要性更高的长输电线路、海域风电项目等特殊工程选址和抗震设计要求。

区域性地震区划工作要点为：

(1)开展区域地震构造和地震活动性调查、分析研究，对于重要的线性工程，必要时应开展线路两侧 25km 范围内的近场工作；

(2)确定潜在震源区和相应的地震活动性参数；

(3)确定适用于地震区划区域的地震动参数衰减关系；

(4)进行地震危险性概率分析计算，得到计算控制点的特定超越概率水平的地震动参数；

(5)进行地震动参数分区或绘制地震动参数等值线；

(6)编写使用说明和研究报告。

与全国地震动参数区划图相比，区域性地震区划及工程对象具有更高的重要性或抗震设计要求具有特殊要求。因此本规程规定，根据工程特性和重要性确定地震区划的概率水平。一般情况下，长输电线路等线状工程的抗震设防概率水平为 50 年超越概率 10%。

区域性地震区划比例尺要根据区划目的、工程特性及重要性确定。近场区地震构造图比例尺应不小于 1∶250000，考虑到各种不确定性的影响，地震区划编图比例尺可采用 1∶500000。

11.2 地震小区划

11.2.1 地震小区划与全国地震区划相比有共同之处，均是为一般建设工程提供的抗震设防要求，为抗震设计提供设计地震动参数。但工作的细致程度、工作深度和工作内容有很大差别。全国地震区划是在平均场地条件下对全国范围内的地震安全环境进行的区域划分。地震小区划是对某一城镇、厂矿或占地面积较大工程范围内的地震安全环境进行的划分，预测这一范围内可能遭遇的地震影响分布，包括设计地震动参数的分布和地震地面破坏的分布。因此，地震小区划应包括地震动参数小区划和地震地质灾害小区划。

11.2.2 大量的震害经验表明，地震破坏作用在几百米以至几十米内也可能存在显著差异，这种差异主要是场地工程地质条件引起的。除了最重要的地表土层影响外，局部地质构造环境和地形的影响也要认真考虑。因此，在地震小区划工作中必须深入细致地进行场地地震工程地质条件勘测，以了解场地的地震工程地质条件。

11.2.3、11.2.4 地震动参数小区划基于场地地震反应分析所给出的场地地震动参数结果，同时还需要考虑小区划范围内的地形、地貌和岩土性质的特点，即工程地质单元的分区结果，经综合分析后，按照地震动峰值加速度的大小与反应谱的形状进行划分，地震动参数小区划可以是分区的，也可以是等值线，容许内插。地震动参数小区划的结果可以以两套小区划图及一些表格数据给出。一套图给出场地地震峰值加速度的分布，另一套图给出加速度反应谱的特征周期分布，表格给出与加速度反应的特征周期分布图相对应的放大系数反应谱平台高度值等。

应充分搜集、分析和整理地震小区划范围内的工程地质、水文地质和地形地貌等资料，进行现场工程地质调查，并在此基础上进行补充勘查，包括物化探、坑槽探和钻孔等，详细勘测小区划范围内的场地工程地质条件，编制工程场地工程地质分区图。

在地震小区划所涉及的场地范围内，加速度峰值大小及反应谱形状的变化一般主要来自场地工程地质条件的差异，所以在编制地震动参数小区划图时，要根据确定的计算控制点的地震动参数，并结合工程地质单元分区结果，综合分析编制给定的概率水平的工程场地地震动峰值和反应谱小区划图。小区划图比例尺宜不小于1∶250000，对某些占地范围小的地震小区划图比例尺宜采用1∶50000～1∶10000，不同建设工程的抗震设计要求给定的概率水平不同，在一般建设工程的地震小区划工作中，设防地震的概率水平通常取50年超越概率63%、10%和2%～3%。

地震动参数小区划分区图应根据场地工程地质单元分区和控制点上的地面地震动参数，把小区划范围划分为若干个小区，并在每个小区内确定平均意义上的地震动参数。这种方法的优点是编图简单、与工程地质单元结合紧密、在合理划分工程地质单元基础上对控制点的密度要求不高，结果便于工程应用。缺点是地震动参数值在边界上不连续、有突然跳跃，每个小区内的地震动参数是平均值，与各控制点的计算值之间离散较大。

地震动参数小区划等值线图可以直接根据各控制点计算得到的地震动参数进行绘制。这种方法的优点是直接，不需要按工程地质单元分区给定平均的地震动参数值，数值连续无跳跃。缺点是控制点要有足够的密度，与工程地质单元分区结合不紧密，当场地工程地质条件、地形、地貌复杂时，等值线图绘制困难。

在地震动参数小区划结果的实际使用过程中，相邻分区或两条等值线地震动峰值和反应谱特征周期的差别太小，对工程抗震设计和其他的应用来说实际意义不大，差别太小既没有必要也使用不上；同时，在地震安全性评价工作的分析计算过程中，存在地震活动参数的不确定性、潜在震源划分方案的差异、地震动衰减关系的偏差、场地模型和参数确定的误差等因素，这些因素最终将直接影响到场地地震动参数的精度，考虑地震动参数的精度，也不宜把数值分得过细。因此在地震动参数小区划图的编制过程中，相邻两区或两条等值线，地震动峰值的差别宜不小于20%，反应谱特征周期的差别宜不小于0.05秒。

11.2.5 地震地质灾害主要是由不良地质环境条件在地震作用下，由地震力触发造成地质体破坏而形成的。因此，评价工程场地地震地质灾害时，应按本规程第10章的规定，判别地震时地质不良环境与地质体破坏的危险所在，并结合区内已发生过的地震地质灾害特征，判别不同工程地质单元内地震地质灾害类型与其分布，根据评价区工程场地的工程地质条件和地震地质灾害判别标准，预测这些地震地质灾害的强度或破坏程度。

地震地质灾害小区划除了给出相关的图件外，还应认真编写地震地质灾害小区划图说明，介绍图件编制的技术思路和技术方法，编制过程中所使用资料的来源、资料的精度，说明地震地质灾害小区划的分区原则和依据，说明各分区内潜在地震地质灾害类型、程度及空间分布，介绍地震地质灾害小区划结果的使用范围以及使用过程中要注意的事项等。

12 地震动峰值加速度复核

12.0.1 地震动峰值加速度复核工作的重点是在搜集区域范围内地震安全性评价资料的基础上，对 50 年超越概率 10%概率水平的峰值加速度计算结果影响最大的潜在震源区及其参数进行分析论证。

应重点搜集重大工程地震安全性评价报告，特别是经过国家地震安全性评价委员会评审的报告。将报告中的地震危险性分析的基本参数，包括地震带地震活动性参数、潜在震源划分结果、地震震源深度研究结果等作为地震动加速度峰值复核的基础。

12.0.2～12.0.4 地震动峰值加速度复核内容主要是：采用地震危险性分析计算得到 50 年超越概率 10%水平的基岩场地地震动峰值加速度，再通过转换计算得到场地地表地震动峰值加速度。转换关系如下：

$$a = k_s a_r$$

$$k_s = \begin{cases} 1.25 & a_r \leqslant 0.0625 \\ 1.25 - (a_r - 0.0625)/1.25 & 0.0625 < a_r \leqslant 0.375 \\ 1 & a_r > 0.375 \end{cases}$$

式中 a 为场地地表地震动峰值加速度(g)，a_r 为基岩地震动峰值加速度(g)，k_s 为转换系数。

按照《中国地震动参数区划图》GB 18306—2001，地震动峰值加速度给出的是对应中硬场地土的地震动参数。为了与主要抗震设计规范和抗震设防标准保持相对连续，在确定不同场地类型的设计反应谱时，采用了不调整峰值加速度，只调整反应谱特征周期的方法。即峰值加速度为上述公式转换计算得到的值，反应谱特征周期是根据场地类别按照《建筑抗震设计规范》GB 50011 的规定来确定。

目前《中国地震动参数区划图》GB 18306 正在修编，场地地震动峰值加速度和反应谱特征周期是由调整系数来控制的，因此今后在开展地震动峰值加速度复核时，可由地震危险性分析计算结果通过查表转换即可。

13 成果报告要求

13.0.1 成果报告编制要求如下：

1 前言。宜包括：任务来源(甲方单位名称、项目名称、设计单位)；项目概况(工程总投资估算、工程场址位置图、项目基本情况、工程平面设计情况、建筑物最大高度、结构形式、基础埋深、自振周期、用途、工程抗震设计特性和要求)；工作目标(根据合同拟提供的抗震设防地震的概率水准和主要技术指标)；基本工作内容，特别是现场工作和搜集的重要资料；技术标准；工作等级；工作范围；工作总体方案；项目组织与管理(项目人员组成)等。

2、3 区域和近场区地震活动性。宜包括：所有地震资料来源、地震资料完整性分析、地震时间分布特征和未来活动趋势分析、历史地震对场地的综合影响分析、区域震源机制解分布、编制区域/近场区地震目录及震中分布图、作出综合评价等。

4 区域地震构造。宜包括：区域地质构造与地貌资料、分析区域地貌特征和新构造运动的特征、区域新构造运动演化特征、主要新构造表现形式及特点、新构造运动分区、重点分析新构造运动的类型、活动特征、活动幅度及其地震活动的关系、绘制区域地震构造图、作出综合评价等。

5 近场区地震构造。宜包括：第四纪地质地貌资料、分析第四纪构造活动特点，对主要断层的活动时代、性质、运动特性和分段进行鉴定，判定主要断层的最大潜在震级，绘制近场区地震构造图，作出综合评价等。

6 地震危险性分析。宜包括：分析方法概述、潜在震源划分(原则、方法、依据)、地震活动性参数确定(震级上下限、b 值、地震年平均发生率、空间分布函数等)、选择地震动衰减关系并给出衰减模型的各系数和方差、给出地震危险性计算和结果分析(场地基岩峰值加速度超越概率曲线、不同超越概率水平的场地基岩加速度反应谱曲线、不同超越概率水平的场地基岩加速度反应谱平均值)等。

7 场地工程地质条件勘测。宜包括:地形地貌、地层岩性、工程地质条件、水文地质条件,确定场地土类型和场地类别,勘探点平面布置图和钻孔柱状图,搜集附近钻孔资料(标明出处),对工程场地进行土层波速测试、标贯试验,土样动三轴或共振柱试验等。

8 场地土层地震反应分析。宜包括:合成场地基岩的人造地震动时程的方法简介、介绍持时参数的确定方法并给出计算结果、合成工程抗震设计要求的不同超越概率基岩地震动时程、绘制各控制点具有代表性的地震动时程、反映各控制点场地基岩地震动在不同超越概率水平下对目标谱拟合的情况、简介土层反应计算的方法、确定场地计算土层模型动力参数、给出各控制点场地土层计算模型、给出场地土层反应分析中土体动力非线性特性等效曲线参数、计算出各控制点不同超越概率水平下地表及不同深度(工程要求)地震动参数、绘制各控制点具有代表性的地震动参数。

9 场地设计地震动参数确定。宜包括:确定工程抗震设计要求的工程场地的地震动参数并给出其与相应行业抗震规范比较(图表),确定设计反应谱曲线形式,说明设计地震反应谱标定参数选择原则,根据工程抗震设计需要给出地震动参数、时程以及工程场地设计地震动参数使用说明等。

10 地震地质灾害评价。宜包括:描述工程场地地形地貌和地层情况、地震地质灾害类型、评价方法、评价结果等。

11 结论与建议。宜包括:区域和近场区地震活动性特征评价、地震构造背景评价、工程场地设计地震动参数确定、地震地质灾害评估等。

12 附件。宜包括:物探报告、土层波速测试报告和土动力特性参数测定试验报告等。